历代墨宝选粹

灵飞经（下）

杨汉卿 编

江苏凤凰美术出版社

编者按：

《历代墨宝选粹》系列字帖，选字皆出自历代法书名迹、经典碑帖。所选之字笔法特征明显、结体优美，为了便于初学者临习，将之适当放大呈现，并对损泐笔画加以修补，使之更加完善，以飨读者。

《灵飞经》书作简介

《灵飞经》是一卷道教的经。在明代晚期，发现一卷唐代开元年间的精写本，它的字迹风格和砖塔铭一脉非常相近，但毫锋墨彩却远非石刻所能媲美。当时流入董其昌手，有他的题跋。海宁陈氏刻办《渤海藏真》丛帖，由董家借到，摹刻入石，两家似有抵押手续。后来董氏又赎归转卖，闹了许多往返纠纷。《渤海》摹刻全卷时，脱落了十二行，董氏赎回时，陈氏扣留了四十三行。从这种抽页扣留的情况看，脱刻十二行也可能是初次抵押时被董氏扣留的，后来又合又分，现在只存陈氏所抽扣的四十三行，其余部分已不知存佚了。《灵飞经》本身的书法，在唐人写经中，公推精品，试用敦煌所出那么多的唐人写经来比，够得上《灵飞经》那样精美的，也并不太多。在清代，科举考试的标准、书法的优劣，几乎与文章的优劣并重，所以它又成了文人士子学习小楷的极好范本。于是《渤海》初拓遂成稀有珍品。原石又因捶拓渐多，不断泐损，随之出现了种种翻刻本。《滋蕙堂帖》翻刻的笔画光滑，又伪加赵孟頫跋，在清代中期曾成为翻本的首领，事实却是翻本中的劣品，和《渤海》的原貌相离更远。嘉庆中嘉善谢恭铭得到陈氏抽扣的四十三行，刻入《望云楼帖》，刻法与《渤海》不同，不但注意笔画起落处的顿挫，且比《渤海》本略肥。凡是看过敦煌写经的人都容易感觉《望云》可能比较『逼真』，而《渤海》可能有所『失真』。

素 素	平 平	祝 祝	頓 顿
玉、 玉	坐 坐	如 如	一 一
女 女	閑 闭	上 上	旬 旬
十 十	目 目	法 法	十 十
真 真	太 太	畢 毕	符 符

髻 髻	並 并	丹 丹	同 同
散 散	穨 颓	羅 罗	服 服
之 之	雲 云	華 华	白 白
至 至	三 三	裙 裙	錦 锦
腰 腰	角 角	頭 头	帔 帔

上 上	鸞 鸾	符 符	手 手
清 清	之 之	乘 乘	執 执
晏 晏	車 车	朱 朱	神 神
景 景	飛 飞	鳳 凤	虎 虎
常 常	行 行	白 白	之 之

一 一	便 便	入 入	陽 阳
旬 旬	心 心	垗 兆	迴 回
玉 玉	念 念	身 身	真 真
女 女	甲 甲	中 中	降 降
諱 讳	申 申	垗 兆	下 下

字如上十真
玉女悉降兆
形叩齿六通
咽液十过毕

宫 宫	平 平	文 文	祝 祝
玉 玉	旦 旦	甲 甲	如 如
女 女	朱 朱	午 午	太 太
右 右	書 书	之 之	玄 玄
靈 灵	絳 绛	日 日	之 之

飛 飞
一 一
旬 旬
上 上
符 符

沐 沐
浴 浴
入 入
室 室
向 向

南 南
六 六
拜 拜
叩 叩
齒 齿

十 十
二 二
通 通
頓 顿
服 服

穨 颓	羅 罗	服 服	一 一
雲 云	飛 飞	丹 丹	旬 令
三 三	帬 裙	錦 锦	十 十
角 角	頭 头	帔 帔	真 真
餘 余	並 并	素 素	同 同

白 白	之 之	手 手	髮 发
車 车	符 符	執 执	散 散
飛 飞	乘 乘	玉 玉	之 之
行 行	朱 朱	精 精	至 至
上 上	鳳 凤	金 金	䙅 腰

清（清）晏（晏）景（景）常（常）陽（阳）

迴（回）真（真）下（下）降（降）入（入）

兆（兆）身（身）中（中）兆（兆）便（便）

心（心）念（念）甲（甲）午（午）一（一）

仍 仍	女 女	如 如	旬 旬
叩 叩	悉 悉	上 上	玉 玉
齒 齿	降 降	十 十	女 女
六 六	兆 兆	真 真	諱 讳
通 通	身 身	玉 玉	字 字

日 日	之 之	畢 毕	咽 咽
平 平	文 文	祝 祝	液 液
旦 旦	甲 甲	如 如	六 六
丹 丹	辰 辰	太 太	十 十
書 书	之 之	玄 玄	過 过

拜（拜）精（丹）宫（宫）玉（玉）女（女）
右（右）靈（灵）飛（飞）一（一）旬（旬）
上（上）符（符）沐（沐）浴（浴）入（入）
室（室）向（向）南（南）六（六）拜（拜）

叩齒十二通
叩齿十二通

頓服一甸十
顿服一令十

真同服丹錦
真同服丹锦

帔素羅飛帬
帔素罗飞裙

精 (精)	至 (至)	角 (角)	頭 (头)
金 (金)	腰 (腰)	餘 (余)	並 (并)
之 (之)	手 (手)	髮 (发)	穨 (颓)
符 (符)	執 (执)	散 (散)	雲 (云)
乘 (乘)	玉 (玉)	之 (之)	三 (三)

朱（朱）鳳（凤）白（白）車（车）飛（飞）
行（行）上（上）清（清）晏（晏）景（景）
常（常）陽（阳）迴（回）真（真）下（下）
降（降）入（入）垗（兆）身（身）中（中）

真 真	諱 讳	午 午	兆 兆
玉 玉	字 字	一 一	便 便
女 女	如 如	旬 旬	心 心
悉 悉	上 上	玉 玉	念 念
降 降	十 十	女 女	甲 甲

太 太	十 十	六 六	兆 兆
玄 玄	過 过	通 通	身 身
之 之	畢 毕	咽 咽	仍 仍
文 文	祝 祝	液 液	叩 叩
甲 甲	如 如	六 六	齒 齿

一 一	玉 玉	丹 丹	辰 辰
旬 旬	女 女	書 书	之 之
上 上	右 右	拜 拜	日 日
符 符	靈 灵	精 丹	平 平
沐 沐	飛 飞	宮 宫	旦 旦

浴入室向本
命六拜叩齿
十二通服一
精玉女十真

同紫錦帔碧

同紫锦帔碧

羅飛華帬頭

罗飞华裙头

並穨雲三角

并颓云三角

髻餘髮散之

髻余发散之

至腰手執金
虎之符乘黃
翮之鳳白鸞
車飛行上清

至腰手执金
虎之符乘黄
翮之凤白鸾
车飞行上清

念 念	身 身	真 真	晏 晏
甲 甲	中 中	下 下	景 景
辰 辰	垗 兆	降 降	常 常
一 一	便 便	入 入	陽 阳
旬 旬	心 心	垗 兆	迴 回

玉女諱字如
上十真玉女
悉降兆身叩
齒六通咽液

青（青）	日（日）	玄（玄）	過（过）
要（要）	平（平）	文（文）	畢（毕）
宮（宫）	旦（旦）	甲（甲）	祝（祝）
玉、（玉）	青（青）	寅（寅）	如（如）
女（女）	書（书）	之（之）	太（太）

右靈飛一甸
上符沐浴入
室向東六拜
叩齒十二通

思 思	畢 毕	符 符	頓 顿
青 青	平 平	祝 祝	服 服
要 要	坐 坐	如 如	一 一
玉 玉	閉 闭	上 上	旬 旬
女 女	目 目	法 法	十 十

三 三	帬 裙	錦 锦	十 十
角 角	頭 头	幘 帻	真 真
髻 髻	並 并	丹 丹	同 同
餘 余	額 额	青 青	服 服
髮 发	雲 云	飛 飞	紫 紫

白	乘	執	散
白	乘	执	散
鸞	青	金	之
鸾	青	金	之
之	翮	虎	至
之	翮	虎	至
車	之	之	要
车	之	之	要
飛	鳳	符	手
飞	凤	符	手

兆	降	常	行
便	入	陽（阳）	上
心	兆	迴（回）	清
念	身	真	晏
甲	中	下	景

兆	真	讳	寅
身	玉	字	一
仍	女	如	旬
叩	悉	上	玉
齿	降	十	女

此	太	十	六
道	玄	过	通
忌	之	毕	咽
淹	文	祝	液
汙	行	如	六

假（假）	牀（床）	不（不）	經（经）
人（人）	寢（寝）	得（得）	死（死）
禁（禁）	衣（衣）	與（与）	亡（亡）
食（食）	服（服）	人（人）	之（之）
五（五）	不（不）	同（同）	家（家）

辛及一切肉
又對近婦人（又 对 近 妇 人）
尤禁之甚令（尤 禁 之 甚 令）
人神亡魂亡（人 神 亡 魂 亡）

香（香）	下（下）	及（及）	生（生）
於（于）	鬼（鬼）	三（三）	邪（邪）
寢（寝）	常（常）	世（世）	失（失）
牀（床）	當（当）	死（死）	性（性）
之（之）	燒（烧）	為（为）	災（灾）

首也上清琼
宫玉符乃是
太极上宫四
真人所受于

太 太
上 上
之 之
道 道
當 当

須 须
精 精
誠 诚
潔 洁
心 心

澡 澡
除 除
五 五
累 累
遺 遗

穢 秽
汙 污
之 之
塵 尘
濁 浊

杜 杜
淫 淫
欲 欲
之 之
失 失

正 正
目 目
存 存
六 六
精 精

凝 凝
思 思
玉 玉
真 真
香 香

煙 烟
散 散
室 室
孤 孤
身 身

三 三	佛 佛	著 著	幽 幽
宮 宫	五 五	魂 魂	房 房
豁 豁	神 神	保 保	積 积
空 空	遊 游	中 中	毫 毫
競 境	生 生	仿 仿	累 累

于常辈守寂
以感通者六
甲之神不逾
年而降已也

子能精修此（子能精修此）

道必破券登（道必破券登）

矣信而奉者（矣信而奉者）

為靈人不信（为灵人不信）

當 当	甲 甲	泉 泉	者 者
得 得	虚 虚	矣 矣	將 将
至 至	映 映	上 上	身 身
精 精	之 之	清 清	沒 没
至 至	道 道	六 六	九 九

真之人乃得
真之人乃得

行之行之既
行之行之既

速致通降而
速致通降而

靈氣易發久
灵气易发久

行 行	視 视	立 立	勤 勤
廚 厨	變 变	亡 亡	修 修
卒 卒	化 化	長 长	之 之
致 致	萬 万	生 生	坐 坐
也 也	端 端	久 久	在 在

九 九
疑 疑
真 真
人 人
韓 韩
偉 伟
遠 远
昔 昔
受 受
此 此
方 方
於 于
中 中
岳 岳
宋 宋
德 德
玄 玄
德 德
玄 玄
者 者

周 周
宣 宣
王 王
時 时
人 人

服 服
此 此
靈 灵
飛 飞
六 六

甲 甲
得 得
道 道
能 能
一 一

日 日
行 行
三 三
千 千
里 里

偉 伟	道 道	獸 兽	數 数
遠 远	今 今	得 得	變 变
久 久	在 在	真 真	形 形
隨 随	嵩 嵩	靈 灵	為 为
之 之	高 高	之 之	鳥 鸟

子 (子)	九 (九)	之 (之)	乃 (乃)
有 (有)	疑 (疑)	道 (道)	得 (得)
郭 (郭)	山 (山)	成 (成)	受 (受)
勺 (勺)	其 (其)	今 (今)	法 (法)
藥 (药)	女 (女)	處 (处)	行 (行)

復 复	法 法	連 连	趙 赵
數 数	而 而	等 等	愛 爱
十 十	得 得	並 并	兒 儿
人 人	道 道	受 受	王 王
或 或	者 者	此 此	魯 鲁

岳 岳	今 今	東 东	遊 杜
魏 魏	見 见	華 华	玄 玄
夫 夫	在 在	方 方	洲 洲
人 人	也 也	諸 诸	或 或
言 言	南 南	臺 台	處 处

此 此
云 云
郭 郭
勺 勺
藥 药
者 者
漢 汉
度 度
遼 辽
將 将
軍 军
陽 阳
平 平
郭 郭
騫 骞
女 女
也 也
少 少
好 好
道 道

刺 刺	愛 爱	授 授	精 精
史 史	兒 儿	其 其	誠 诚
劉 刘	者 者	六 六	真 真
虞 虞	幽 幽	甲 甲	人 人
别 别	州 州	趙 赵	因 因

此 此	尸 尸	婦 妇	駕 驾
符 符	解 解	也 也	漁 渔
王 王	後 后	好 好	陽 阳
魯 鲁	又 又	道 道	趙 赵
連 连	受 受	得 得	該 该

者魏明帝城（者魏明帝城）

門校尉范陵（门校尉范陵）

王伯緇女也（王伯缁女也）

亦學道一旦（亦学道一旦）

此（此）	中（中）	期（期）	忽（忽）
法（法）	真（真）	入（入）	委（委）
子（子）	人（人）	陸（陆）	壻（壻）
期（期）	又（又）	渾（浑）	李（李）
者（者）	授（授）	山（山）	子（子）

狂 (狂)	其 (其)	河 (河)	司 (司)
走 (走)	常 (常)	王 (王)	州 (州)
云 (云)	言 (言)	傳 (傳)	魏 (魏)
一 (一)	此 (此)	者 (者)	人 (人)
旦 (旦)	婦 (妇)	也 (也)	清 (清)

失 失
所 所
在 在
上 上
清 清

瓊 琼
宮 宫
陰 阴
陽 阳
通 通

真 真
秘 秘
符 符
每 每
至 至

甲 甲
子 子
及 及
餘 余
甲 甲

枚（枚）	服（服）	陰（阴）	日（日）
先（先）	太（太）	符（符）	服（服）
服（服）	陽（阳）	十（十）	上（上）
太（太）	符（符）	枚（枚）	清（清）
陰（阴）	十（十）	又（又）	太（太）

六 (六)	千 (千)	見 (见)	符 (符)
甲 (甲)	金 (金)	之 (之)	也 (也)
陰 (阴)	不 (不)	寧 (宁)	勿 (勿)
正 (正)	與 (与)	與 (与)	令 (令)
此 (此)	人 (人)	人 (人)	人 (人)

帝 帝	通 通	當 当	之 之
上 上	微 微	叩 叩	謂 谓
真 真	祝 祝	齒 齿	服 服
六 六	日 日	十 十	二 二
甲 甲	五 五	二 二	符 符

滅 灭	摠 总	炁 气	玄 玄
遊 游	統 统	元 元	靈 灵
鎮 镇	萬 万	始 始	陰 阴
魂 魂	道 道	所 所	陽 阳
固 固	撿 捡	生 生	二 二

真 真	役 役	常 常	魄 魄
飛 飞	六 六	使 使	五 五
雲 云	丁 丁	六 六	内 内
紫 紫	為 为	甲 甲	華 华
軿 軿	我 我	運 运	榮 荣

空駕浮上入玉庭畢服符咽液十二過止朱書太玄

空驾浮上入玉庭毕服符咽液十二过止朱书太玄

清 清	玄 玄	承 承	玉 玉
明 明	玉 玉	翼 翼	女 女
右 右	蘭 兰	墨 墨	靈 灵
此 此	修 修	書 书	珠 珠
六 六	字 字	太 太	字 字

符（符）	服（服）	與（与）	甲（甲）
陰（阴）	陽（阳）	六（六）	陰（阴）
日（日）	日（日）	甲（甲）	陽（阳）
墨（墨）	朱（五）	符（符）	符（符）
書（书）	書（书）	俱（俱）	當（当）

符祝如上法欲令人恒斋戒忌血秽若污慢所奉不

泄 泄	之 之	爲 为	尊 尊
之 之	者 者	下 下	道 道
者 者	長 长	鬼 鬼	法 法
凋 凋	生 生	敬 敬	者 者
零 零	替 替	護 护	殞 殒

吞符咀嚼取
朱字之津液
而吐出滓著
香中勿符紙

吞符咀嚼取朱字之津液而吐出滓著香中勿符纸

内胃中也此
道忌淹污经
死丧之家不